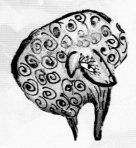

Esta obra está protegida
por los Derechos de Autor.
No la reproduzcas sin permiso.
Acude a info@cempro.org.mx

CeMPro

Teléfono: 1946-0620
Fax: 1946-0655
e-mail: a_literatura@editorialprogreso.com.mx
e-mail: servicioalcliente@editorialprogreso.com.mx

Desarrollo editorial: Víctor Ricardo Guzmán Zúñiga
Dirección editorial: Yolanda Tapia Felipe

 Proyecto y realización: Sandra Donin. Proyectos Editoriales
Diseño: Sandra Donin y Martha Cuart

Revisión editorial: Cyntia Berenice Ruiz García

Con mis ojos
(Serie Con mis...)

Miembro de la Cámara Nacional de la Industria Editorial Mexicana
Registro No. 232

ISBN: 978-970-641-723-7 *(Serie Con mis...)*
ISBN: 978-970-641-725-1

Impreso en México
Printed in Mexico

1ª edición: 2008
1ª reimpresión: 2014

Con mis ojos

Con mis ojos

Mariana I. Pellegrino

Mariana Nemitz

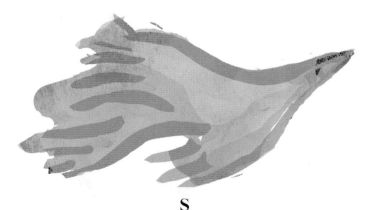

S

xz

P

 PROGRESO
EDITORIAL ®

Con mis ojos recorro el océano,
acompaño a las gaviotas en su vuelo,
y me hago la valiente mirando de frente al sol
en un día de puro calor.

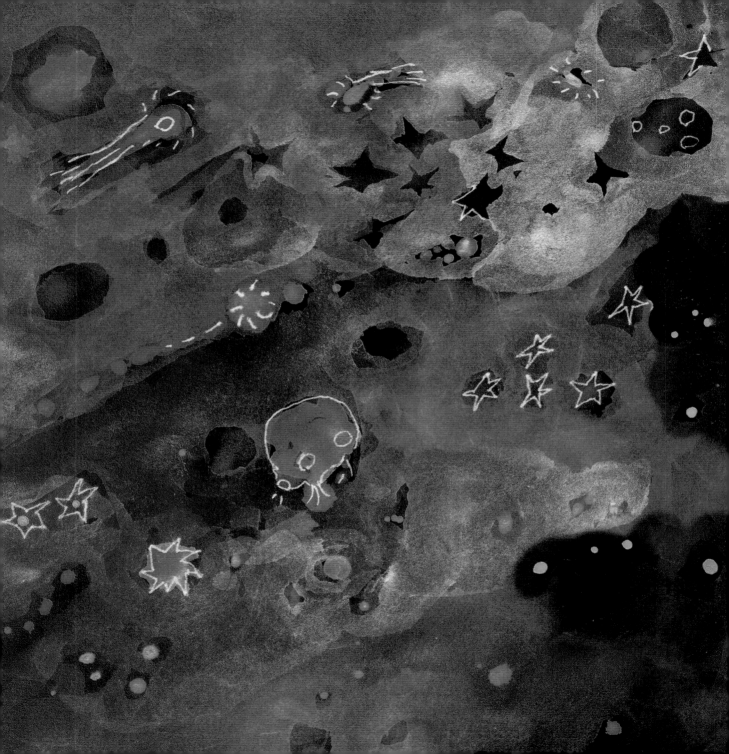

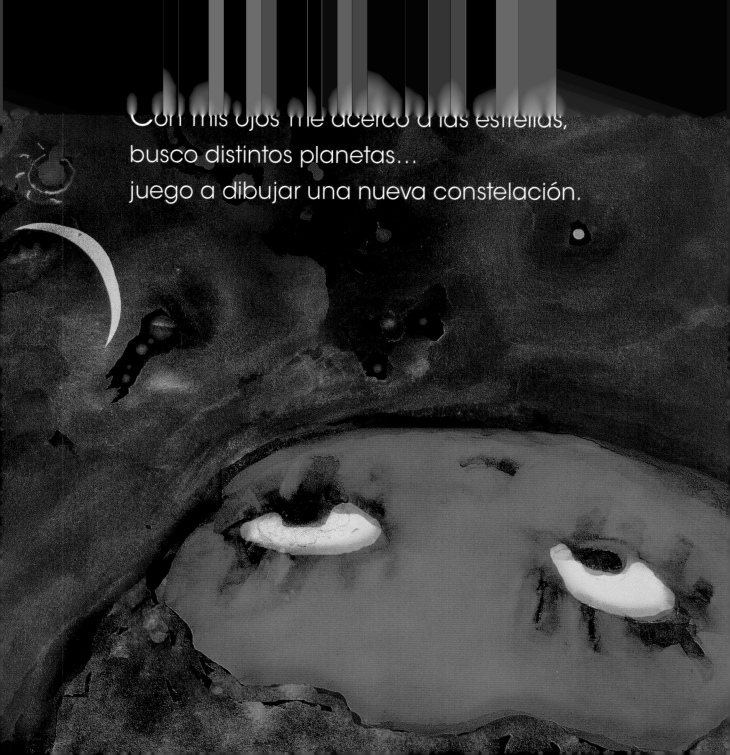

Con mis ojos me acerco a las estrellas,
busco distintos planetas...
juego a dibujar una nueva constelación.

Con mis ojos miro al cielo
y creo osos en las nubes,
casitas de muñecas
y caballos de algodón.

Con mis ojos veo cosas chiquititas
y me asombro de no haberlas visto nunca antes;
hasta hoy.
Son insectos gordos de colores
revoloteando en una flor en mi balcón.
Y hasta hormigas rojas diminutas
armando su camino de espiral hasta su hogar;
montaña marrón.

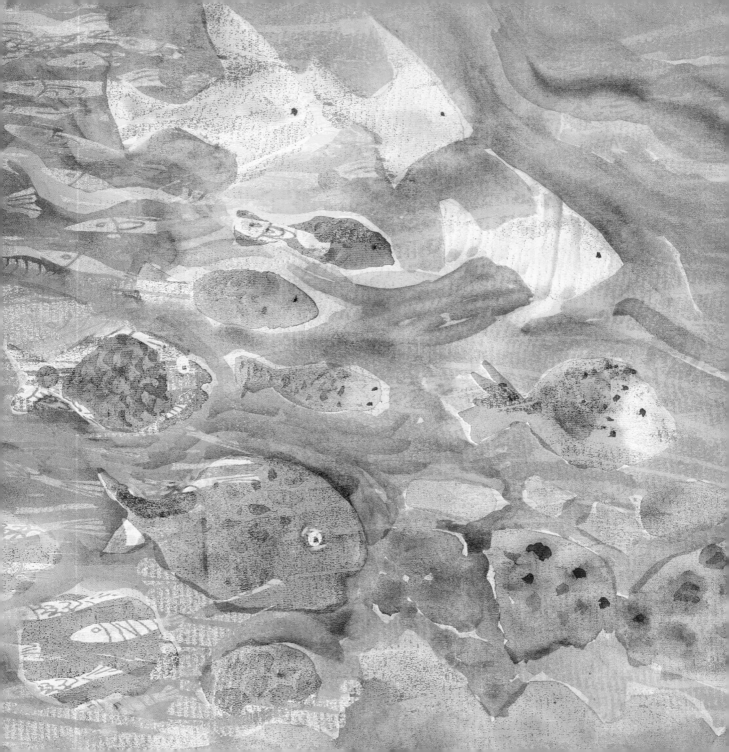

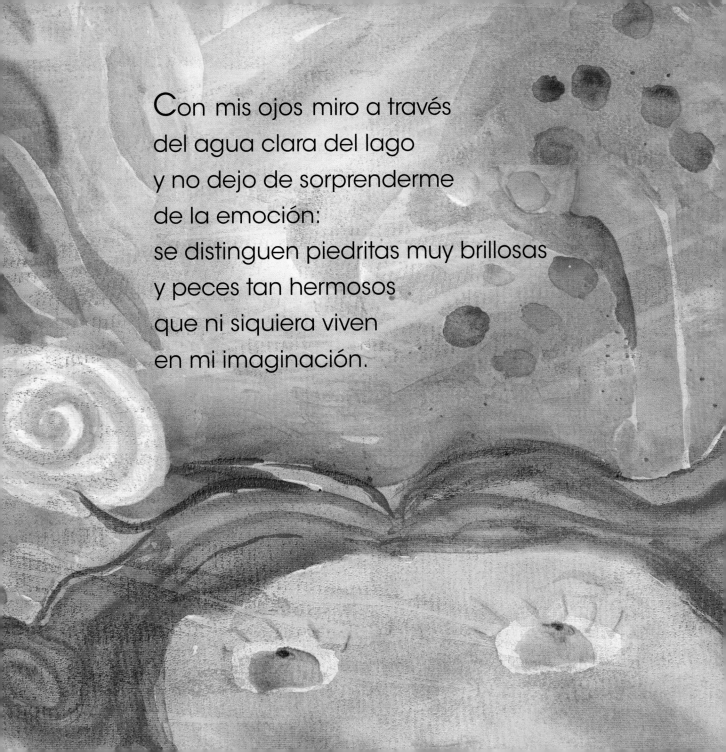

Con mis ojos miro a través
del agua clara del lago
y no dejo de sorprenderme
de la emoción:
se distinguen piedritas muy brillosas
y peces tan hermosos
que ni siquiera viven
en mi imaginación.

Con mis ojos veo desde el camino a los animales
y es como si tocara los rulos de las ovejas,
la suavidad de los conejos…

Es como si sintiera las cosquillas…
que me harían las plumas de los patos.

Con mis ojos elijo ropa de todos los colores:
fucsia, violeta, amarillo, verde…
¡Quiero parecer un arcoiris!

Igual que ese tan bello que se ve los días en que la lluvia nos quita la diversión.

Con mis ojos me miro
a los ojos de mamá.
Es que sé que cuando sea grande...
Como ella voy a amar.

Con mis ojos abiertos o cerrados:
pinto, juego, bailo... ¡sueño!

¡Qué hermoso mundo que tenemos
para mirar y mirar!

La primera edición de *Con mis ojos*
de Mariana I. Pellegrino, se terminó de imprimir en marzo de 2014
en los talleres de la Editorial Progreso S.A. de C.V.